바다처럼 넓은 너에게

바다처럼 넓은 너에게

저 자 | 유대협

발 행 | 2024년 9월 23일
펴낸이 | 한건희
펴낸곳 | 주식회사 부크크
출판사등록 | 2014.07.15(제2014-16호)
주 소 | 서울특별시 금천구 가산디지털1로 119 SK트윈타워 A동 305호
전 화 | 1670-8316
이메일 | info@bookk.co.kr

ISBN | 979-11-419-0592-7

www.bookk.co.kr

바다처럼 넓은 너에게

유대협 지음

| 차례 |

1부

성공 013 │ 바다 014 │ 너를 위해, 너로 인해 015 │ 사랑의 공존 016 │ 이게 사랑이구나 017 │ 머금으며 018 │ 아름다운 문장 019 │ 청춘 020 │ 덧칠 021 │ 여름의 찝찝함 022 │ 당신에게 024 │ 종이학 026 │ 네가 027 │ 능소화 028 │ 버스 029 │ 별 030 │ 낮과 밤 031 │ 4월의 꽃말 032 │ 사랑의 장면 033 │ 환일몽 034 │ 그대가 꽃이라면 036 │ 바다처럼 넓은 너에게 038 │

그 여름은 언제나 우리를 사랑했다.

조용히 울던 꽃 040 | 가로등 041 | 해파리 042 | 결말이 없는 인생 043 | 너는 그렇게 내 꿈을 바꿨다 044 | 폭죽 046 | 감탄 고토 047 | 이름 049 | 시차 050 | 흐릿 051 | 방황 052 | D-1 053 | 커플링 055 | 겨울 056 | 빛에 그을릴 수만 있다면 057 | 끝에서 떨어진다는 것은 058 | 익어가며 059 | 우리의 조각 060 | 이슬이 되기를 061 | 짝사랑 063 | 앨범 064 | 엉킨마음 066 |

2부

너와 069 | 너를 070 | 동아줄 072 | 카운트다운 073 | 여름날 074 | 불필요한 미련 076 | 더위, 여름, 사랑 077 | 계절의 목소리 079 | 깊어지면 081 | 보금자리 082 | 윤슬에 담긴 감정 083 | 날갯짓 084 | 자국 085 | 가까운 듯 먼 086 | 생일 087 | 여유 088 | 아쉬움 089 | 분실 090 | 살다 보면 091 | 다툼 092 | 아픔의 변화 093 | 예감 094 | 하차벨 095 | 안개꽃 098 | 아스라이 들리는 웃음 100 | 오렌지 레몬 차 101 | 욕조에 복숭아 물을 담았다 102 |

-

우리의 여행은 아직 끝나지 않았다.

비가 내리지 않기를 바라지만 비가 내렸으면 좋겠어요 103│ 너에게 다가가기 위해 104│ 차 한잔 105│ 바라보며 106│ 너에게 닿기 위해 108│ 곁에 있어줘 109│ 나는 그렇게 나를 잃어간다 111│ 아스라이 피고 지는 존재 113│ 밑창 115│ 때로는 무딘 사람이 되고 싶었다 117│

3부

알고보니 여름이었다 121 | 몹시 아픈 날 122 | 각자만의 123 |
나의 18살 124 | 좋아했던 공원의 마음 127 | 마음의 온도 129 |
언어의 온도 131 | 오늘도 133 | 조용한 바다를 만들었다 135 |
오롯이 138 | 내가 비롯되는 곳이 온통 너였다 139 | 너였을까
141 | 괜찮습니다 143 | 당연하듯 너를 145 | 우린 한 장으로 넘
겨진다 147 | 젊음, 청춘, 영원, 추억, 사랑 149 | 한 장의 여름
151 | 여름, 초록 잎 153 |

내가 이 세계에 태어난 이유는

| 작가의 말 155 |

바다처럼 넓은 너에게

제 1부

그 여름은 언제나 우리를 사랑했다.

성공

한 걸음 한 걸음 다가갈 때마다 고통도 같이 다가온다.
한 걸음 한 걸음 물러설 때마다 고통도 같이 물러선다.

우리에게 가장 필요한 것은
한 걸음 나아가며 앞서 나가는 것이 아니라
한 걸음 뒤로 천천히 물러서는 것이다.

성공이라는 것은 내가 먼저 앞서 나간다고 해서
그것이 성공인 것이 아니라
나처럼 노력하는 사람들이 먼저 나아갈 수 있게
배려하는 것이 성공이다.

바다

우리는 공평하고 동등한 곳에 머무르게 되었다

내 앞에서 한숨을 쉬며 긴장하던 사람
내 옆에서 내 어깨를 쳐주며 격려해 주던 사람
내 뒤에서 모두에게 힘내라고 응원해 주던 사람

우리는 모두 같은 곳에서 서로에게 인사를 했지만
넓고도 넓은 곳을 향해 발걸음 옮겨보니
모두가 사라지고 전혀 보이지 않았다.

잔잔하면서도 거슬리던 잡음이 들려왔고
선선한 바람이 불어오며, 시원한 향기가 올라왔다.

바다였구나.

너를 위해, 너로 인해

너를 위해 꽃을 꺾어도 보았고
너를 위해 눈물을 흘려도 보았고
너를 위해 해본 적도 없던 사랑도 해보았다.

너로 인해 참 많이도 변했고
너로 인해 참 많이도 반했다.

사랑의 공존

더운 건 너무 싫었지만
그저 녹아내리고 싶었고

추운 건 너무 좋았지만
눈밭에 푹 빠지긴 싫었다.

네가 나한테 모진 상처를 주었을 때
그저 녹아내리고 싶었고

내가 너무 좋았다고 한 건 좋았지만
너의 눈물 속으로 푹 빠지긴 싫었다.

덥든 춥든, 모든 건 사랑이라는 감정이었다.

이게 사랑이구나

네가 내 앞에서 웃고 있을 때 눈앞이 흐렸다
인공눈물을 넣었지만, 여전히 흐릿했다.

네가 내 앞에서 울고 있을 때도 눈앞이 흐렸다
인공눈물이 아닌, 눈물을 흘렸더니 점차 선명해졌다.

이게 사랑이구나

인위적인 감정을 넣으면 진심을 볼 수 없고
그저 내가 느끼는 감정을 뱉어내야 진심을 볼 수 있구나
이렇게 해야 네가 작위적인 미소를 보여주겠구나
내 진심을 알아서.

머금으며

설탕 한 스푼을 머금으며
조금 더 달콤한 말을 건넬 수 있게 할게요.

내가 차갑다고 느껴지면
차 한 잔을 입안에 가득 머금으며
조금 더 따뜻한 말을 건넬 수 있게 할게요.

하지만 당신은 이미 아름다워서
꽃을 꺾어서 건네지 않아도 될 것 같네요.

당신은 머금으려 하지 않아도 이미 가득하네요.

아름다운 문장

인생에서 가장 아름다운 문장을 듣게 되었다.
"너 덕분에 내 인생에 작은 행복이 태어났어."
이미 본인만의 커다란 행복이 있을 텐데
나로 인한 새로운 행복이 작게 태어났다고 한다.

나는 그 말을 가슴 깊게 믿기로 다짐하여 너에게 이렇게
말했다.
"너 덕분에 내 인생에서 가장 완벽한 사랑이 태어났어."

아마 나라는 여백이 가득한 노트에 네가 채워지며
그렇게 내 인생에 있어 가장 아름다운 문장들은
전부 너로 만들어진 문장이 되었다.

청춘

새싹이 파랗게 돋아나는 봄철.
청춘이라는 단어의 정의를 말한다.

말미암아 절정의 청춘.
최고조로 도달한 젊은 시기의 청춘을 말한다.

너.
내가 가장 사랑하는 새싹이 파랗게 돋아난 봄철.
내 인생에서 널 만난 순간이 가장 최고조로 도달한 시기고
그렇게 너라는 존재를 내가 가장 사랑하는
청춘의 정의라고 부른다.

덧칠

나의 아픈 상처를 덧칠할 수 있을까
나를 덧칠해 줄 수 있을 물감을 찾아다녔다.

봄을 닮은 분홍색
여름을 닮은 초록색
가을을 닮은 갈색
겨울은 닮은 하얀색

조심스럽게 네가 가장 좋아하던
파란색을 끼얹어봤다.

나의 아픈 상처를 덧칠할 수 있었던 건
너의 푸른 마음이었다.

여름의 찝찝함

우리가 먼 훗날 다시 만나게 된다면
여름의 찝찝함을 함께 즐기기로 해요

서로 여름을 가장 좋아했던 우리는
하늘에서 시린 눈이 펑펑 내려도 항상 여름을 얘기했고
그렇게 여름을 함께 하자고 약속을 했죠

봄이 되어 예쁜 꽃이 슬며시 세상에 나타날 때
나와 함께 영원을 즐기자고 손을 마주 잡으며
봄이 알려주던 선선한 바람을 느꼈죠

여름이었나
하늘에선 소낙비가 내리기 시작했고
우리는 그 소낙비에 이끌려 결국 여름을 잃어버렸어요

시간이 흘러 다시 겨울이 오면

눈이 펑펑 내릴 때 그대를 찾아갈게요

우리, 다음엔 꼭 여름의 찝찝함을 즐기기로

꼭 약속해요, 안녕 나의 초여름.

당신에게

눈동자를 바라보고 있으니까 바다가 떠올라요
얼마나 눈물을 참았으면, 눈에 물이 고여 있을까요
"괜찮아."보단 "고생했어."가 더 마음에 들겠네요

오늘 하루도 고생 많았어요
가까운 곳을 바라보기보단
멀리 있는 곳을 바라보는 게 더 편안할 거예요
멀리 있는 곳은 보이지가 않기에
그만큼 부담이나 걱정도 보이지가 않아요.

저는 가깝게 있는 당신을 바라볼게요
당신이 힘들어하는 걸 제가 멀리서 보면
당신의 마음을 전혀 볼 수가 없으니까요.

꾹 참았던 눈물을 이젠 흘려보내주기로 해요

오늘이라는 감정이 있고

내일이라는 마음이 있어요.

감정과 마음을 모두 따로 뱉어줬으면 좋겠어요.

하루에 지쳐 밤마다 눈물을 보이고 있을 당신에게.

종이학

종이처럼 구겨진 너의 마음
나는 오늘, 너에게 편지를 써서 종이학을 만들 거야

작은 손톱으로 꾹꾹 눌러 학의 날개를 만들어서
너처럼 예쁜 꽃을 작게 만들어 날개에 달아놓고
벚꽃이 마구 흩날릴 때, 너의 방으로 향하는 바람을 빌렸어
방에서 곤히 자고 있는 너의 머리맡에 도착할 거야

우리가 손잡고 걸었던 그 날씨처럼
다시 일어나서 우리의 향기를 알려줘

네가

네가 점차 어두워지면 나는 가로등이 되어
늦은 밤 집까지 걸어가는 너를 비춰줄게

네가 조금씩 밝아지면 나는 어두운 새벽이 되어
네가 더 밝게 빛날 수 있게 도와줄게

네가 결국 눈물을 흘리면 나는 소낙비가 되어
너의 울음소리가 세상에 들리지 않도록 도와줄게

네가 여름이면
나는 초록이 되어 너를 더 돋보이게 할게

네가 겨울이면
나는 함박눈이 되어 너를 더 덮어줄게

능소화

주변에서 나를 어떻게든 없애려고 노력할 텐데
나는 이제 더 이상 관심이 없어.
내가 어떠한 저주를 받을지라도 너를 이 여름에서
너를 기다리고 있을게.

내가 이렇게 강한 만큼, 내 마음을 가져갈 수 있는
여러 사람들은 그만큼 고귀한데 그 고귀한 사람이
바로 너야. 오직 네가 날 가져갈 수 있어.

나는 앞으로 너를 기다릴 수 있는 시간이 고작 2개월이야.
장마가 거침없이 내리고, 태풍이 거세게 불어도
나는 오직 이 자리에서 네가 오길 기다릴게.

능소화: (凌宵花): 하늘을 업신여기는 꽃.

꽃말: 명예와 영광, 그리움, 기다림

버스

뭐가 그렇게 좋다고
더워도, 추워도, 비가 와도, 눈이 와도.
자꾸만 계속해서 기다리는 건지

결국 내가 원하는 목적지에 도착하면
하차 벨을 꾹 - 눌러 그렇게 떠나갈 거면서.

매번 똑같으면서, 우린 지나간 것에 대한
아쉬움이 가득하다.

별

그저 남들처럼 예쁜 별인데
무슨 고민이 있길래 어두워 보여.

힘들면, 잠시 내려와도 좋아
내가 인공위성이 되어, 너의 자리를 대신할게

작은 별인만큼, 사랑받을 자격 충분하잖아.

낮과 밤

너의 밤은 겨울처럼 차갑고
너의 새벽은 얼음처럼 딱딱해

나의 아침은 가을처럼 시리고
나의 낮은 늦가을처럼 시원한데

왜 너와 나는 한 번이라도 따뜻한 적이 없을까.
계절의 탓일까, 아니면 우리의 탓일까.

4월의 꽃말

수천 개의 구름을 이끌고 한편의 낭만을 좋아하던
바람 속에서 함께 흘러가던 꽃을 고스란히 가져와서
편지를 입에 조용히 물고 네가 아끼던 그 우편함에
편지를 조용하게 올려놓았다.

너에게 나는, 그저 스쳐 지나간 인연이었고
나는 그런 감정을 배웠기에, 한 마리의 참새가 되어
너의 일상 속에서 예쁜 꽃말 같은 한결을
선물하기 위해 하루도 빠짐없이 아침마다 찾아왔다.

비록, 내가 참새가 되었지만 너만큼은
누군가에게 예쁜 존재가 될 수 있기를 바랐기 때문에
봄에 태어난, 4월에 예쁜 벚꽃이 되길 바랐다.

네가 벚꽃이 된다면 흩날리는 벚꽃 한 잎을 깨물게.
그리고, 우리가 좋아하던 바다로 떠날게.

사랑의 장면

눈을 지그시 감았다가 다시 떠보니
눈앞에는 작은 사랑이 있었고
마치 셔터가 터지는 듯한 감정을 받았다.

사랑이 하나의 장면을 남기는 것 같았다.
매 순간마다 사랑이 알려주는 분위기에 이끌리면
점차 나도 모르게 내 눈이 감겨버리고
아마, 그렇게 장면이 남겨지는 것 같다.

항상 남겨졌던 이 장면들을
어느 곳에서 다시 볼 수가 있을까.

그것보다 나는 대체 너를 언제쯤 다시 마주칠 수 있을까

난 또다시 새로운 장면을 남기고 싶어서
그렇게, 오늘도 나는 필름을 뜯는다.

환일몽

나는 이제 너를 만나러 출발하려 해.
너는 저기 높은 하늘에서 꽃을 심고 있을 거야
나도 이제 슬슬 너를 따라서 하늘에 가고 싶어.

신기해.
나는 그저 높은 곳에서 뛰어내린 것 밖에 없는데
그저 순간에 너를 떠올린 것뿐인데
바람을 타며 하늘을 날고 있어
이제 더 높게 위로 올라갈게.

내가 그곳에 도착하면 꼭 울면서 얼굴 가리지 말고
너의 그 예쁜 미소로 웃으며 날 반겨주길 바랄게

고작 사랑이 나를 조종하고 있어
신비롭기도 하지만 너를 볼 수 있기에 행복해.

내가 그곳에 도착하기 전까지

너는 행복을 위해 헤엄을 치길 바랄게.

환일몽(幻日夢): 현실이 아닌 것을 실제처럼 느끼는 환각

그대가 꽃이라면

그대가 꽃이라면 저는 저기 저 먼 곳에서
시끄러운 바람과 함께 다가오는 소낙비를 막을 게요.
그대가 흔들리는 모습을 보기 싫기에
저는 마른 흙을 퍼 와 그대 곁에다 꾹꾹 눌러
가득히 담을게요.

가끔 눈물을 흘리고 싶다면 이슬비를 선물할게요.
그대의 눈물은 그대처럼 빛나고 소중하지만
감히 자연에게 보여줄 수는 없을 것 같아요.

그 눈물은 그 무엇보다 더 소중하기에
작은 이슬과 물방울을 불러
눈물을 조용히 흘리도록 도와줄게요.

내 눈빛이 점차 흐릿해져 빛을 잃어버리게 되어도
신경 쓰지 말아요

그대를 다시 바라본다면 흐릿해져 잃어버렸던

나의 빛이 다시 선명해질 테니.

바다처럼 넓은 너에게

너는 그토록 깊은 곳을 좋아했다.
햇빛이 바닷속으로 들어오는 것을 싫어하던 너는
그렇게 조금 더 깊은 심해로 쉬지 않고 들어간다.

나는 네가 너무 좋아서
때문에 그런 너를 믿어서
물을 무서워하는 나는 너를 만나기 위해
그렇게 깊은 바다에 몸을 던졌다.

내가 허우적대고 있을 때
그렇게 해가 바닷속으로 들어오는 것이 싫다더니
빛이 바닷속으로 들어오는 그 빛줄기를 통해
내가 빠졌다는 것을 알고는 금방 수중 위로 올라왔다.

나는 그렇게 처음으로 바닷물이 아닌 눈물을 보였다.

너는 그런 나를 보며 웃으며 눈물 대신 바닷물을

얼굴에 끼얹어주었다.

나는 넓은 바다에서

바다처럼 넓은 너에게

바다 같은 시원한 감정을 느꼈다

심해가 알려준 사랑이었다.

조용히 울던 꽃

조용히 울어버리면
누구도 너를 찾지 못하겠다는 생각을 했을 거야

고운 너의 눈물이 차츰 볼을 타고 내려가다가
그렇게 뚝- 하고 바닥까지 떨어져 버리면
나는 너를 사랑하기에, 네가 행복했으면 바랬기에
나 또한 다시 바닥으로 뚝 떨어지고 말 거야.

조용히 울고 있을 때 누구도 나에게 다가오지 않는 건
네가 울고 있는 걸 몰라서가 아니야
"소리도 못 낼 만큼 힘들었구나"라고 생각해서
눈물이 그칠 때까지 기다려 주는 거야

이제 다 울었어?
소리도 못 낼 만큼 힘들었어?

가로등

공허에 취하는 새벽
그 아래에는 내가 서 있었고
그 위에는 작은 가로등이 있었다.

가로등은 나를 비춰주다가 눈을 감았고
나는 그런 가로등을 미워한 채로
오로지 새벽만을 비춰주는 달에게 의존했다.

밤벌레가 신나게 울다가 금방 지쳐서
그렇게 반딧불이 소리를 잡아먹었다.

가로등이 비쳐줘도, 달빛이 비쳐줘도
밤벌레가 조용해져도, 반딧불이가 소리를 먹어도.

나는 네가 없인 이 새벽을 보내지 못할 것 같아.

해파리

깊은 방황 속에서 헤엄치다가
작은 해파리를 발견했다

내 방황은 심해 속이었고
내 심해를 밝혀준 건 해파리였다

그 해파리는 몸속에 있는 모든 게 다 보였고
모든 게 다 보여도 예쁘게 주변을 밝혀주었다

모진 세상에는 어떤 노력들을 해도 밝혀주지 못해서
그렇게 방황 속에서 헤엄치고 있었는데
마주친 해파리 덕분에 나는 느꼈다

이곳에선 속마음을 드러내어도
주변을 밝아지게 할 수 있다는 것을

나는, 해파리가 되어야 할까

결말이 없는 인생

결말이 없는 영화는
1시간이 넘는 시간 동안 상영되어도
그렇게 사람들의 마음을 잘 흔드는데

결말이 없는 인생은
60년, 70년, 80년이 넘는 시간 동안 살아도
이 넓은 세계에서 내 노력을 남기지 못한다.

결말이 있었다면
내가 높은 하늘을 날아다닐 때
밝고 빛나는 날개를 얻을 수 있었을까.

너는 그렇게 내 꿈을 바꿨다

  너는 내 꿈속을 따라오려다가 결국 신발에 물이 가득 들어갔다.

나를 왜 자꾸 쫓아오는지 의아했을 때 금방 지나쳤던 나무가 갑자기 바람의 방향을 틀더니 결국 너에게 가고 있었다 마치 내 꿈속을 이미 안다는 듯.

  그 바람은 계속해서 내 뒤로 향하고 있었고 바람이 너무 강해서, 앞으로 나아가기 위해 오른발을 땅에서 떼는 순간 나는 바람을 타고 뒤쪽으로 향하고 있었다. 나는 어둠을 껴안고 그렇게 너를 찾아가고 있었다.

  너는 작은 깃털 같은 고양이를 들고 나에게 다가오고 있었다 그런 나는 너를 마냥 밀쳐낼 수가 없어서, 껴안고 있던 어둠을 꿀꺽 삼키고 너에게 캐물었다.

  도대체 내 꿈에 왜 나타났냐고. 내 행복을 왜 잃어버리게 하냐고.

너는 당연하다는 듯 웃음을 짓고선 들고 있던 고양이를 나에게 건넸다.

불어오는 바람처럼 살랑살랑 흔드는 꼬리, 솜사탕처럼 가벼운 털, 바다처럼 파랗고 시원한 눈망울. 나는 그런 고양이를 마냥 바라보기만 했다.

"네가 바라는 꿈은 이게 아니야, 이 고양이의 눈동자를 계속 바라보고 있어줘. 그러면 네가 알던 행복을 다시 되찾게 될 거야."

나는 못 이기는 척 눈동자를 바라봤다. 어디선가 들려오는 파도 소리와 시원한 바다 내음이 나에게 다가오고 있었다. 나는 숲에서 바다까지 고작 눈물 한 방울을 흘리며 도착했다 작은 파도 소리가

점점 커지며 이리저리 갈매가가 울며 날갯짓을 하고 있었다. 내가 바라던 건 숲이 아닌, 넓은 바다였다.

너는 그렇게 내 꿈을 망치려는 듯 나타났지만, 내 꿈을 바꿔주기 위해 나타났다.

폭죽

너와 함께 불꽃축제를 봤던 10월.
나는 그때 처음으로 폭죽을 마주했고
이 폭죽이 오랫동안 네 곁에 있던 나보다
너를 더 행복하게 해준다는 것을 깨달았다

나는 다짐했다.
잠깐 동안 예쁘고, 그렇게 순수하게 사라지는
나뭇잎이 물들기 시작하는 가을밤을 비춰주던
그 많고 많은 폭죽처럼, 너에게 폭죽 같은 존재가 되자고

너를 위해 온갖 마음을 다 주며 내 자존심이 불타도
너의 행복을 위해서, 너의 웃음을 위해서
그렇게 타들어가버려도 너를 위해 살아가겠다고

감탄고토

너를 가득 채우고
너를 가득 삼키고
너를 가득 뱉었다

처음으로 마주한 여름의 습한 공기를
녹아내릴 것 같은 따뜻한 공기로 채워주었고

여름을 사랑했던 나는
그렇게 지나가버린 겨울에게 미움을 사고
다시 봄이 돌아오면서 벚꽃이 알려주는 향기들과
네가 가득 채워주던 사랑을 꿀꺽 삼켰고

새로운 계절 속에서 느낀 감정을
너에게 다시 표현하기 위해
내 모든 걸 다 바치며 내 마음을 다 하기 위해
다시 너에게 시끄럽게 우는 매미처럼

너에게 사랑을 뱉었다

달콤하면 삼키고, 쓰면 뱉었지만
너는 처음부터 끝까지 달콤했기에
꽃잎을 뜻하는 너를 그런 식으로 뱉었다

이름

너를 뜻하는데
너의 존재를 알려주는데
고작 단어일 뿐인데

어쩜 그렇게 예쁠까.

나에겐 너의 이름이 또 다른 나의 여름이야
내 모순적인 마음을 너의 이름으로 채워줘

시차

네가 깨어있을 땐
나는 조용히 너를 바라보기만 했고

네가 잠에 들었을 땐
그때 몰래 너의 이름을 불러

너를 사랑하는 거에는 시차가 존재하나 봐.

흐릿

내가 눈을 선명하게 뜨기 전에는
그저 흐릿한 실루엣뿐이었는데
너는 선명하게 잘 보였어

마치 물속에서 들리는 것처럼
뭉개져서 들려와서, 무서웠는데
밝고 상쾌한 너라서
너는 너무 선명하게 잘 들렸어

너는 흐리게 보일 순 없나 보다
그토록 내가 너를 바랬었나 봐

방황

지상으로 가기 위해 젊음을 품었다
젊음을 품어야만 지상으로 갈 수 있을 줄 알았다.

아무리 입구를 들어가도 출구뿐이었고
아무리 출구를 나와도 입구뿐이었다.

청춘이 나를 지킬 수 있었던 걸까

나를 되찾지 못하고
나는 여전히 방황 속에 빠져있다.

D-1

나의 숫자가 1을 가리키기 시작하니
멀리 들려오던 소리가 모습을 감추었다.

바다야, 새벽에게 나를 알려줘
너를 마주하는 순간 나는 사라진다고.
바다에게 편지를 쓰고 나는 조용히 울었다.

내가 아무리 살아가겠다고 발버둥을 쳐도
하루가 어두워지면 나는 조금씩 나를 잃어간다.

내 정신을 잃어버려도, 그리고 너를 잃어버려도
너는 자꾸만 나를 바라보고 눈물을 흘렸다.

새벽아, 바다에게 내 사랑을 알려줘
나의 숫자가 사라지고 나면
그때부터 파도가 내가 사랑하는 이를 지켜줄 수 있다고

해변에 앉아서 새벽을 마주하는 너에게

별을 닮은 꽃을 파도로 통해서 건네줄게.

커플링

내가 너에게 미소를 선물했더니
너는 나에게 언짢은 표정을 선물해 주었고

네가 나에게 화를 건네주었을 때
나는 너에게 눈물을 보여주었다.

전혀 달랐고, 어울리지도 않았던 우리가
그렇게 서로의 마지막을 바라볼 때는
한곳만 바라봤다.

우리 서로가 가장 사랑하던,
아무리 우리가 다르고, 달라져도 절대로 바뀔 수 없던
그 커플링을.

겨울

저만치 멀고도 먼 하늘에서
차가운 결정체들이 마구 떨어지는데
그 결정체들이 뭐라고 이렇게 눈물을 흘릴까

나에게 아픔을 선사한 탓일까
그저 그 시린 마음을 밟기만 해도 울컥한다

너의 마음이 얼어버린 탓에
그렇게 우리가 겨울이 되어버린 탓에

나는 겨울에도 비가 내리길 바라는 걸까

빛에 그을릴 수만 있다면

얕은 바다를 뛰어다닐 때의 그 첨벙거리는 기분.
그런 기분을 아는 사람은 극소수에 불과하는데
그 극소수에 불과하는 게 우리의 사랑이었다.

조금만 더 너를 열심히 노력하고 헌신했다면
나는 달빛 하나로도 충분한 사람이 되었을까.

나는 상처가 아물기 시작할 때 고통이 시작된다
왜인지, 꼭 원래 있었던 피부가 아니라면 안 된다는 듯이
미칠 듯이 따갑다.
내가 이 고통과 똑같은 걸 너도 알고 있었으면 좋겠는데.
나도 너 아니면 안 되는데.

우리가 이렇게 사랑했던 마음들이
계속해서 식어가는 것을 가만히 바라보고 있어야 할까.

우리의 사랑이 빛에 그을릴 수만 있다면.

끝에서 떨어진다는 것은

해가 지는 곳으로 갔더니
끝이 없는 바다를 발견했다

해는 끝이 없는 곳에서 점차 내려가고 있었고
그 해를 바라보니 나를 닮았다는 생각을 했다

끝이 없는데, 어떻게 그 아래로 내려갈까
끝이 없으니까 내려갈 수가 있던 걸까

나는 왜
끝이 있는데도, 더 깊은 곳으로
떨어지려는 걸까

익어가며

복숭아가 익어갈 때
사과가 익어갈 때
포도가 익어갈 때

너를 향하는 내 볼도
너의 목소리를 듣는 귀도

온통 너로 비롯되어
나도 점차 익어가기 시작한다.

우리의 조각

삶에서 잃어버린 조각들을 가득 모아
하나씩 파헤치다 보면
그 사이에서 그토록 찾던 조각이 나온다.

청춘, 낭만, 사랑, 행복

여름 속을 뛰어다니다가
청춘을 발견하여 낭만을 즐기고
사랑을 건네면서 행복을 선물받는 그런 것

오직 나만이 너에게 할 수 있는 일이었다.

이슬이 되기를

날씨가 따뜻해져도
날씨가 시원해져도
밤이 어둡게 깊어도
아침이 환하게 밝아도

여전히 내 곁에서 오래 머물러주길 바라요

이슬이 맺혀
물방울 한 방울씩 뚝- 떨어져도
그대는 그대로 얼어주길 바라요

그대가 편히 쉴 수 있도록
기울어져 있지 않는
평평한 꽃잎이 되어줄게요

그대의 평온한 마음처럼

여전히 아름다울 만큼

곁에서 오래 맺혀주세요

짝사랑

나는 하늘에게 구걸을 했다
그대가 내 곁에 머무르게 해달라고
유유히 떠나는 여름을 붙잡고 싶다고
좋아하는 마음을 이제는 사랑하는 마음으로
그렇게 너에게 진심 어린 말을 건네고 싶다고 했다

밝은 곳에서 따스한 바람에 따라
해를 사랑하는 그 해바라기가
이제는 그늘에서 태어나기를 바랐고
눅눅한 흙을 좋아하게 해달라고 구걸했다

해바라기를 뒤에서 응원하던
눅눅하고 감정이 없던 그 흙이
어쩌면 해바라기를 사랑하고 있지 모른다고

내가 이제는 해바라기가 좋아하는
그 따뜻한 햇살이 되고 싶다고

앨범

내 추억들이 많은 곳에
어쩌면 너도 추억이 될까 봐
두려운 마음에 곧장 서랍 속에 집어넣었다

한 장, 또 한 장
내 마음들이 채워질 때마다
점차 없어지는 페이지들을 보곤
너는 이곳에 담기지 않겠구나 싶었다

천천히 행동했다고 생각했던 내 선의가
착각이 되어, 너에겐 서툰 악의가 되었고

그렇게 막을 내리려 하던 그 앨범 속의
그 마지막 페이지에
결국 너의 이름이 들어갔다

온통 너의 이름으로 채웠지만

마지막까지 너로 채워져

이 앨범을 닫아야 하겠구나

엉킨마음

내 한순간의 봄이었지만
이제는 겨울이 되어버렸으니
따뜻한 바람이 불어오기 전까진
유영하듯 모든 곳을 떠나야겠어요

손이 엉켜버려도
꽉 잡고 있었던 우리였지만
이제는 풀어야겠으니
땀이 차버린 그 손을 놓아야겠어요

어스름한 새벽에서
그리움이 보이기 시작했지만
이젠 미움으로 바꿔야겠어요

제 2부

우리의 여행은 아직 끝나지 않았다.

너와

나를 닮은 계절을 발견했어

너와 이 계절 속에서 태어나면

걱정 없이 모든 게 행복할 것 같았어

내가 그토록 찾아다녔던 계절이라

너와 함께 하면 모든 게 행복할 것 같아서.

행복을 삼키면서 우리가 함께.

너를

너를 닮은 계절을 발견했다고 들었어
나와 이 계절은 완전히 맞지 않았는데
너를 닮았기 때문에, 그게 너한테는 좋을까 봐
걱정을 삼키면서 내가 메말라도 이 계절을 골랐어

내가 조금씩 시들어가면
너는 계절이 아닌 나를 고를 것 같아서

너와 예쁘게 시들어가고 싶었어
마지막까지도 너와 함께 피어나길 바랐어

나를 담은 계절이라서, 너도 닮아질 것 같아서

내가 조금씩 피어나면
나를 따라 너도 이 계절에서 영원할 것 같아서

너와 예쁘게 피어나고 싶었어

처음부터 너와 함께

동아줄

어두운 밤하늘을 밝게 비춰주는
아름다운 별똥별을 구할 수만 있다면
지구를 한 바퀴를 돌아서라도 구하여
그대가 누워 자고 있는 침대 머리맡에 고이 두고
아름다운 꿈을 꿀 수 있게 도와줄게요

꿈속에서 행복을 위해 방황하고 있다면
하늘에서 동아줄을 내려줄게요
그 줄을 꽉 잡고 올라와서
작은 구름을 타고 나에게 와주세요

저는 당신을 비추고 있는 보름날이니.

카운트다운

영원하자며 서로의 미소를 삼키고

우리는 그렇게 아름다운 3초를 기다렸다

3

우리는 손을 마주 잡고 앞을 바라봤다

2

조금씩 웃음을 띠었을 때 바람이 조금씩 불었다

1

앞을 바라보던 내가 그새를 못 참고 너를 바라봤다

찰칵.

찰나의 아름다움을 사랑했던 나는

그 찰나를 영원한 사랑으로 바꿔버렸다

단 1초 만에

여름날

나는 수박을 쪼개며 매미의 울음소리를 즐겼다
커튼 사이로 들어오는 햇빛에 이끌려
먼지가 가득 묻은 커튼을 활짝 열었다

빛 사이사이로 먼지가 보이기 시작했고
창문을 힘차게 열어보니
불어오는 바람들과 함께 이끌리듯이
조금씩 바깥으로 향하기 시작했다

찬란하게 빛나는 그 빛이 먼지를 보여줬다
나는 그 빛이 너를 닮았다는 말을 뱉어냈다

나도 모르던 그 먼지를
나에게 처음으로 보여준 광채였다

나도 몰랐던 내 먼지를
나에게 처음으로 보여준 것처럼

이 여름에 나타난 네가 나에게 준 선물이었다

불필요한 미련

지금 이 순간을 깨달을 것
떠나가는 이의 뒷걸음을 밟지 말 것
혹여나 뒤를 돌아본다면 웃으며 손을 흔들 것

눈물을 흘리게 된다면
그저 웃으며 두 볼에 흐르도록 할 것
턱까지 흘러 결국 바닥에 떨어진다면
그 순간마저 영원하게 사랑할 것

우리의 마지막을 꼭 기억할 것
그 마지막이 청춘일지라도
그 순간이 영원할지라도

그 감정이 내 마지막일지라도

더위, 여름, 사랑

네가 있는 여름에는
푹푹 찌는 이 더위가 지속적이어도
폭염이 한 달 동안 이어진다고 해도
나는 미워지는 마음을 꾹 눌러 사랑할 거야

얼굴에 땀이 흐르며 덥다는 너를 위해
왼손으로 긴 생머리를 잡아들어 올려서
오른손으로 목에 붙어있는 머리카락을 때어주고
손으로 부채질을 해주며 시원한 숨을 불어넣을게

길어지는 더위 속에
너와 나눠먹는 그 아이스크림이 달콤하면
나는 낭만이 달콤하다고 말하며 꿀꺽 삼킬 테고
어린아이처럼 아이스크림을 먹는 너를 보며
작은 청포도 사탕을 건네줄 거야
네가 나에게 친해지자며 건넸던 그 사탕이야

제법 걸었을 이 거리를 더욱 사랑할 거야
이제는 시원한 바람이 우리를 반길 차례야
나와 같이 걸어도 행복하다던 너에게
새로운 계절을 선물할 거야

우리가 걷던 골목길에 서있는 가로등에 불이 켜지면
나는 방황하는 너의 손을 꼭 잡을 거야

손에 땀이 차오르기 시작할 때
바람이 불어온다면 그때 손을 놓을 거야

손이 시원해지는 걸 느껴줘
내가 너에게 느끼는 사랑이
바로 이런 기분이란 걸 말해주고 싶어

우리 지나가는 여름이어도
함께 즐기며 사랑하자

계절의 목소리

핸드폰을 켜자마자 너에게 전화를 걸었고
스피커를 켜놓고 베개 옆에 놓아
시간이 가는 줄도, 해가 뜨는 줄도 모르고
밤을 지새우며 너와 웃으며 예쁜 말을 담아 갔다

허공에 대고 너의 이름을 부르면
베개 옆에서 예쁜 목소리가 들려오던 여름밤이었다

가울이 시작되고 겨울이 다가올 때쯤
나는 한 번 더 허공에 대고 너의 이름을 불렀다

왜인지 베개 옆이 너무 조용했다
핸드폰이 조용하게 눈을 감고 있었다
침묵을 삼켜버렸다

충전을 하고 나면 다시 예쁜 목소리가 들려올까

계절이 바뀌어버린 탓에 네가 사라진 걸까

재충전을 하면 다시 들을 수 있을까

깊어지면

내 문장이 깊어지면
너의 이름도 깊어질 수 있을까
내 문장 옆에 쉼표를 그어
너의 이름을 예쁘게 꾹꾹 눌러가며 적었다

여름이 깊어지면
너의 햇살도 더 뜨거워질 수 있을까
에어컨을 조용히 끄며
꾹 닫혀있던 창문을 열어 네가 뜨거워지길 바랐다

내가 깊어지면
내 옆에서 웃던 너도 깊어질 수 있을까
너의 손이 땅을 바라보고 있을 때
나와 함께 여름을 사랑하자며 손을 꼭 잡았다

보금자리

마음이 깊어지면
바다도 더욱 깊어진다

아침에 새가 울기 시작할 때
나도 조금씩 울기 시작하는데

그 새가 나무 위에 조심스럽게 앉으면
나 또한 편히 쉴 수 있는 곳을 찾는다

네가 나한테 그랬다
나무가 되어주고 바다가 되어주겠다고

그렇다면 나도 그 새처럼
조심스럽게 앉아버리면

바다가 더욱더 깊어지고
마음도 편해질까

윤슬에 담긴 감정

파도가 나에게 다가왔다
조금씩 밀려오기 시작할 때
한 걸음씩 앞으로 나아갔다

물결이 내 발을 덮치기 시작할 때
작은 모래들이 나를 반기기 시작했다

누군가에게 위로를 받을 때
이런 기분인가 싶었고

파도에 잠겨있던 발을 조금씩 꺼낼 때
내 발에 모래만이 가득 묻어있을 때

바다와 이별을 해야 한다는 소식을 들었다

물로 씻어내면, 모든 게 다 사라질 텐데

날갯짓

날개가 달려있는 곤충들은
하루를 살아가기 위해 날갯짓을 한다

오늘 왼쪽 날개가 다친 곤충을 발견했다
그 곤충은 어떻게든 날아보려고 애를 쓰며
오른쪽 날개를 펄럭인다 하지만 하늘을 날지 못해
결국 기어다니기 시작한다

우리가 살아가는 그 인생도
그런 곤충들처럼 살아가야 할 필요가 있다

아무리 중심을 잃어버릴지라도
몸과 마음이 힘들고 울고 싶은 날일지라도
날개가 다쳐 결국 기어다니는 곤충들처럼
각자 최선을 다할 수 있을 만큼 노력하면 된다

오늘을 위해, 예뻐갈 내일을 위해

자국

주먹을 꽉 쥐었다 펴보면
손바닥에 자국이 남을 텐데
힘을 주어서 생긴 자국이에요

당신도 주먹에 남은 자국처럼
항상 기운 넘치고 힘 있게 살며
누군가에게 자국이 남겨지길 바라요

가까운 듯 먼

여름의 절정이라
가깝게 매미소리가 알림 소리처럼
시끄럽게 울고 있어요

하지만 결국 매미를 찾지 못했어요

가깝게 그대의 목소리가
흘러오는 파도 소리처럼 예쁘게 들려오는데
이렇게나 아주 가까이 있는데
정작 그 파도에 빠질 수가 없어요

우린 아직 새벽이니까
날이 밝아지면 빠져볼게요

생일

23시 59분 57초….

23시 59분 58초….

23시 59분 59초….

00시 00분 00초….

여름에 푹 빠지고

가을이 지나가다가

겨울을 마주한 결국

생일을 반기게 되었네요

17년 전, 이 세상에 나타나

처음 보는 세상이 낯설어

병원에서 울러퍼졌던 울음소리

그 소리를 오랜만에 다시 내어봐야겠네요

여유

시간에게 붙잡히고
날씨에게 이끌렸던 날들
해야 할 일들이 많았지만

시간을 붙잡고
날씨를 이끌던 날들이 늘어났다

하고 싶은 일들이 늘어나게 되었다

아쉬움

조금만 더 잘해줄 걸
조금만 더 사랑할 걸
조금만 더 챙겨줄 걸

그만 좀 사과할 걸
그만 좀 미워할 걸
그만 좀 만들걸, 불필요한 관계를

분실

항상 아끼던 게 사라지고 말았다
우린 서로를 의심할 법도 했지만
홀로 나 자신을 미워하고 원망했다

그 사람이 나를 잊은 걸까
내가 그 사람을 잊은 걸까

아니면

내가 나를 잊어버린 걸까

살다 보면

살다 보면
세상이 너무 미운 탓에 주저앉아서
지나가는 구름을 바라보며 눈물을 흘릴 때가 많았다
그럴 때마다 내 곁에서 어깨를 가볍게, 아주 가볍게
툭- 툭- 쓰담아주고 다독여주는 사람들은 많았지만

내 옆에 아닌 내 앞에서 나처럼 똑같이 눈물을 흘려주는
그런 사람은 본 적이 없었다

한 번도 본 적이 없었지만
그대가 흘려준 눈물 덕분에
모든 게 달라지고 말았다

한 번도 본 적이 없었다는 말이
한 번은 본 적이 있었다는 말로

그렇게 다정한 말로 예쁘게 바꿀 수가 있었다

다툼

서로가 서로에게 상처를 받아서
그렇게 어깨를 밀쳐야만 하나요

그냥, 그저 말없이 안아주거나
그렇게 안아주며 미안하다는 말이라도
예쁘게 내밀어 주면 안 되나요

다툼도 사랑일 텐데

아픔의 변화

어렸을 땐 맨날 다치고
사도 때도 없이 아팠는데

세월이 흘러 나이가 들고
미성숙이 성숙으로 변해지니
잘 아프지도 않는다

이젠 육체가 아픈 게 아니라
마음이 아파지기 시작한다

몸이 아니라 마음이 아파지기 시작했다

예감

과분할 정도로 사랑을 주고

부족한 게 없을 정도로 예쁜 너의 눈동자를 보니까

점점 느껴지기 시작했다

우린 서로에게 그저 안녕이라는 말을 건넬 때

슬프게 울면서 말을 건네겠구나

하차 벨

　여전히 잊지 못했던 마음을 오늘 결국 버렸다. 조용히 숨을 내뱉으며 그저 흘러가도록 내버려두었다. 그저 괜찮다며, 아무렇지 않다는 표정을 짓고 제일 좋아하는 노래를 틀며 집으로 가는 버스를 탔다. 오늘따라 유난히 창밖이 더욱 잘 보였고 나는 그런 야경을 보며 눈물을 흘렸다, 코를 훌쩍이는 소리에 버스에 있던 사람들이 나를 천천히 바라보기 시작했다. 누군가는 조용히 가고 싶었을 귀갓길이었기에 억지로 노래를 신나는 음악으로 바꾸며 그렇게 눈물을 억지로 힘겹게 꾹 삼키고 말았다. 늘 그래왔듯이.

　삑- 감사합니다.

　버스를 내리려고 하차 벨을 꾹 누르곤 카드를 찍었다. 항상 "하차입니다."라고 하던 소리가 오늘 처음으로 감사하다는 말을 건네주었다. 고단했던 하루에 처음으로 들린 예쁜 말이었다. 그 소리를 듣고 나니 더욱 지쳤지만 나는

어깨를 펴고 다시 한숨을 뱉으며 기사님에게 "감사합니다." 한 마디를 날리고 그렇게

버스에서 내렸다. 집으로 가는 유일한 골목길을 터벅터벅 걷고 있을 때, 조용하던 골목길에서 비슷한 발걸음 소리가 저 앞에서 미세하게 들리기 시작했다.

　가로등 아래로 사람 한 명이 서있었다. 나를 애타게 기다리고 있었던 소중한 가족이었다. 나는 축 늘어져있던 어깨를 다시 쫙 펴 당당한 발걸음으로 걸어갔다.

　가로등 밑으로 가서 모습을 비춰주자마자 나를 꼬옥 안아주었다.
　"오늘도 고생 많았어, 많이 힘들었지?"
처음으로 가족에게 뜨거운 위로를 받았다. 가족 앞에선 절대 흘리지도 않겠다고 다짐했던 눈물, 그렇게 10년 만에 꾹 지키고 있던 다짐이 한순간에 깨지고 말았다.
　나는 그런 위로에 결국 소리 내어 눈물을 흘렸다.

　어쩌면 당연하고, 어쩌면 전혀 당연하지 않는 그런 소중하고 없어선 안 될 존재에게 위로를 받는 것, 그게 나에게

가장 필요한 감정이었던 게 아닐까 싶다. 눈물을 꾹 삼키며 집으로 왔지만, 집에 도착해서야 나는 막혀있던 목에 꾹 삼키던 눈물을 결국 뱉어내었고, 소리도 내어봤다. 그저 남들에게 내 감정을 알려

주기도 보여주기도 싫었고 전혀 하고 싶지 않았던 행동이었다. 그래서 그런가, 소리를 내어 울어보니 눈물이 더 흘렀고 힘들었던 나날들이 조금씩 풀려오기 시작했다.

　나에겐 무엇보다 소중했다. 그 어떤 것도 이보다 더 좋을 순 없을 것 같다.
그런 감정이, 그런 사랑이, 그런 가족이.

안개꽃

　나도 너처럼 저 느끼고 있는 감정을 모두 바른대로 뱉어내는 너처럼, 아프면 아프다고 투정도 부리고 슬프면 슬프다고 눈물도 흘리고 짜증 나면 짜증 난다고 화도 내고 싶었다. 항상 솔직하게 감정을 뱉어내는 네가 너무 부러웠다. 너처럼 솔직하게 감정을 누군가에게 알려줬던 게, 나에게는 중학생 때가 마지막이었다. 이제는 아무리 감정을 뱉어내도 위로가 오기는커녕 쓴소리만 더 들려오기 시작했고 그저 조용하게 내 감정을 숨기며 혼자 삭히는 게 더 나을지도 모른다는 생각을 했다.

　힘들어도 그저 웃으며 아무렇지 않다고 하고 슬퍼도 눈물을 꾹 삼키며 참아냈다. 이게 내가 할 수 있는 진심이었고 최선이었다. 어떤 하루는 평소에 전혀 하지도 않던 꽃집에 찾아가서 제일 심플하고 예뻐 보이는 꽃을 두 손으로 집어 들었다. 이름표를 보니 안개꽃이었다. 다른 사람이 보는 내 감정이 안개일까라는 생각을 순식간에 해봤다. 정말 자욱하고 흐리겠네.

그 꽃을 바라보고는 예쁘게 포장해달라고 부탁하며 손에 꽃다발을 들고 꽃집을 나와 그토록 내가 좋아했던 산책로를 걸었다. 그 산책로를 지나가면서 정말 많은 걸 보았다.

혀를 내밀면서 뛰어다니는 강아지, 자전거를 타는 학생들, 스트레칭을 하며 걸어 다니는 할머니분들. 내가 살던 동네의 산책로인데, 늘 왔던 길인데 항상 색다른 감정을 느낀다. 꽃을 들며 다녀보니 할머니분들께서 꽃이 정말 예쁘다고 말을 건네주셨다. 나한테 건네는 말이 아닌데 은근 기분이 좋았다. 한참을 걸어 집으로 거의 도착했을 즘, 정말 오랜만에 친구에게 전화가 왔다. 중학교 동창이라 더욱 기뻤고 굉장히 신기했다.

잘 지냈냐는 말에 웃으면서 잘 지냈다고 하니 아픈 곳은 없냐며, 힘들지는 않냐고 나에게 물었다. 그저 안부차 물어본 말들이었는데, 나에게 물어봐 준다는 마음에 눈물이 왈칵 쏟아졌다. 동네 놀이터에서 그렇게 한참을 울었다.

누군가에게 이런 말을 듣고 싶었던 걸까. 안부 하나에 이렇게 울 정도였을까. 따뜻한 한마디에 눈물을 흘려보니 그동안 얼마나 감정을 뱉고 싶었을지가 점점 보이기 시작했다

아스라이 들리는 웃음

언젠간 찾아올 행복을 위해
다가오는 행복이 잘 찾아왔다고 느끼기 위해
저는 앞으로 조금씩 웃어볼게요

가끔, 아주 가끔은 눈물도 흘려보고
화도 내보겠지만 그 행복이 저를 바라보는 게
불행이 아닌 실수이기를 바랄게요

오늘, 행복이 아닌 행운이 찾아왔아요
그 행운은 저에게 좋지 않은 운이라고 하네요

아직은 미성숙하기에 조금 더 노력해 보려 해요
그 끝에 닿을 때까지 저는 오늘도 아스라이 들려오는
그 웃음소리를 저에게 가득 담아 똑같이 따라 할게요

행복이 다가와 줄 그날을 위해

오렌지 레몬 차

가장 좋아하는 오렌지 티백을 뜯어
종이컵에 넣고 뜨거운 물을 부었다
상큼한 향이 스멀스멀 올라오는데
레몬이 갑자기 생각이 났다

레몬을 잘라내어 종이컵에 집어넣었다
종이컵 바닥까지 푹 잠기나 싶었는데
수면 위로 조금씩 올라오고 있었다

숨을 후- 하며 불어넣고 한입 마셔보니
오렌지 레몬 차가 되었다

레몬을 한입 베어 물었을 뿐인데
입안 곳곳이 따뜻해지면서
이 향기로운 순간이 마치 나의 여름 같았다

욕조에 복숭아 물을 담았다

욕조에 뜨거운 물을 틀곤
복숭아를 욕조 속으로 가볍게 던졌다

풍덩- 하고 빠지고 나니
얼마 지나지 않아 복숭아 향이 올라왔다
복숭아 젤리가 담겨있는 통을 열었을 때
그 뚜껑을 열자마자 올라오던 향이었다

마치 찰나의 봄에서 불어오는
귀여운 봄날 한순간의 향기 같았다

뜨거운 물을 식힌 다음 얼음을 부어서
이 물을 마셔보고 싶다는 생각을 했다

비가 내리지 않기를 바라지만
비가 내렸으면 좋겠어요

깊어지는 방황 속에서
나는 유영하듯 흘러 다니며
바람이 알아봐 주길 기다렸다

구름 한 점 없는 이 하늘이
흐렸던 마음을 밝게 비춰주었고
나는 비가 내리지 않는 오늘을
다시 한번 더 좋아하게 되었다

온전히 끝없는 새벽이 오면
그땐 비가 내렸던 어제를
처음으로 그리워할 것이다

비가 내리지 않기를 바라지만
비가 내렸으면 좋겠어요

너에게 다가가기 위해

여름날 뛰어다니는 사랑

그 곁에서 흩날리는 꽃잎

벚꽃이 바닥에 고이기 시작하니

슬며시 나를 사랑해 주기 위해서

노력을 가다듬고 나타난 작은 능소화

나는 여전히 봄을 스쳐지나

온전히 여름을 사랑하고 있었다

내가 너를 떠나지 못하는 이유다

내가 너에게 다가가기 위해

많은 고통을 겪었음에도 불구하고

여전히 너에게 머물러 있다

이젠 내가 너의 능소화라고 할 수 있겠다

차 한잔

따뜻한 차 한 잔 마시며
그간 힘들었던 순간들을 뱉어내주세요

지금은 차가 따뜻하겠지만
뜨거운 차를 마시게 된다면
후- 불며 식혀서 마시는 것처럼
힘들었던 순간을 후- 불며 식혀주세요

그렇게 숨을 불어넣으면
새로운 순간들이 찾아올 거예요

이제 오래된 티백을 버리고
새로운 티백을 뜯길 바래요

바라보며

노을 진 창가에 걸 터 앉아
흘러가는 세상을 바라보며 웃음을 지었다

지나가는 새를 바라보며
퇴근하는 직장인들을 바라보며
학원을 가는 학생들을 바라보며
힘차게 웃고 떠들며 놀이터로 달려가는
많은 아이들을 바라보며

내가 이렇게 홀로 힘들어해도
저렇게 밝은 사람들이 있는데
나를 밝혀줄 수 있는 사람이 아예 없을까

아무리 버스를 놓친다고 해도

머지않아 다음 버스가 오기 마련이고

아무리 전철을 놓친다고 해도

머지않아 다음 전철이 오듯이

지나가는 행복에 눈물을 허비하지 말자

어차피 지나가니까

지금 내가 흘리는 눈물도

언젠가는 헛되지 않게 흘릴 날이 올 테니

너에게 닿기 위해

손이 닿질 않아서
조금만 더 뻗어보기로 했다
더 뻗을 수 있을 만큼, 조금만 더

눈길이 닿질 않아서
조금만 더 바라보기로 했다
네가 나를 바라볼 수 있을 때까지, 아주 빤히

내가 너에게 닿질 않아서
조금만 더 닿아보기로 했다
갈 곳을 잃어 주머니에 넣으려고 하는 손에
네 손이 와닿아 마주 잡을 수 있을 때까지

하루가 고단해서 흘리는 눈물이 넘칠 때
네가 닦아주며 끌어안아줄 때까지

너에게 닿기 위해

곁에 있어줘

우리가 행복하면 입이 아파질 때까지 실컷 웃고 슬프면 눈이 부울 때까지 실컷 울자. 지금껏 열심히 했잖아 누군가에게 감정을 알려주기 위해서 감정을 느껴 왔던 거라고 하자, 그래야 조금이라도 더 보여줄 것 같아. 사람이 얼마나 슬펐길래 그렇게 마음이 아파지도록 엉엉 울겠어. 네가 노력해왔던 모든 날들에는 단 하루도 의미 없던 날이 없었고 단 하루도 흐릿했던 순간도 없었어.

너도 알잖아, 나는 원래 웃음이 없던 사람이었단걸.

추웠던 겨울날, 하루를 살아가는 게 아니라 하루를 버텨가며 그렇게 1년을 보내는 나였어서 1년을 겨우 버텨서 결국 첫눈이 내리는 늦은 밤에 앞으로 다가올 1년을 다시 어떻게 버텨야 할지 너무 걱정돼서 얼굴이 빨개지고 손가락이 굳어져도 추운 것도 까먹은 상태로 엉엉 울고 있었는데 네가 나에게 다가와선 핫팩을 건네주며 곁에 있어주겠다고, 이제부턴 버티지 말고 살아가자고 했잖아. 그 이후부터 나는 널 바라보면서 살아오기 시작했고 결국 여기까지 오게 되었어. 어떤 하루는 바람이 불지 않아서 그만큼 더 더울 테고 어떤 하루는 바람이 너무 불어서 그만큼 더 추울 텐데 그럴 때마다 꼭 내 품에 안겨줘. 내가 앞에서 추운 바람을 막아줄게.

따뜻하게 곁에 머물러 줘.

나는 그렇게 나를 잃어간다

화창이, 고운 색을 띠고 있는 꽃은
비가 내리면 흙이 점차 눅눅해질 때까지 울고 있는다

그렇게 그 꽃은 따뜻했던 흙 위에서
멋진 세상을 바라보다가
조금씩 허리를 숙이며
다시 흙 속으로 사라지려고 한다

아름다웠던 날씨일지라도
완벽했던 꽃내음일지라도
그렇게, 다시 왔던 길로 되돌아간다

이 세계는 왜 이렇게 아름다운 것들을 미워할까
아직 아름답지 못한 것들은 더 챙겨주면서
되려 나태해지려는 것들만 조용히 가득 담아
하늘 높이 올라갔으면 좋겠는데
왜 아름다운 것들만 그렇게 거머쥐며 가져갈까

나는 나태해지려는 것들에 포함이 되고 싶지만

아쉽게도 아름다운 것에 포함이 되어 있는 듯하다

나는 그렇게 나를 잃어간다.

아스라이 피고 지는 존재

　나는 긴 여름을 품고 바람을 따라 헤엄쳤어. 아쉬운 온도를 느끼며 눅눅했던 공기를 마시면서 나는 그렇게 아름다운 계절을 사랑했어. 너를 기억하자니 너의 이름이 도망갈 것 같았고 너를 부르자니 너의 존재가 사라질 것 같았어. 네가 내 곁에서 사라진다 해도 나는 너를 부를 거야.

　도망갈 것 같던 너의 이름을 조용히 중얼거리다가 어둠 속에서 하나의 빛줄기를 발견했고 그 속에 너의 이름을 말하며 긴 숨을 불어넣으니 빛줄기 속에서 헤엄쳤던 먼지가 곧장 흐릿해지며 아름다운 무지갯빛이 보이기 시작했어.

　너라는 숨을 불어넣으니
아쉬웠던 온도가 점차 따뜻해졌고

　네가 이 세계의 찬란한 무지개였다는 것을 눅눅한 날씨가 따뜻해져서야 깨닫게 되었고 때문에 이 세계가 가장 아름다운 이유를 알게 되었어.

네가 있기에 이 세계가 더 아름다운 거였고 네가 있기에 아름다운 세계에 내가 존재한 거였어.너를 알지 못했더라면 나는 지금쯤 하얀 눈밭을 밟다가 얼어버린 꽃을 바라보며 금방이라도 차가워지는 눈물을 흘리고 있었을 거야. 그 얼어버린 꽃이 나의 모진 세상에 유일한 희망이니까.

이제는 이 세계의 계절이 봄 내음보다 더 따뜻하고 꽃 내음보다 더 달콤하게 되었으니 나는 이제 안녕을 고할게. 얼어버렸던 꽃이 나의 모진 세상에 유일한 희망이었던 것처럼 이제 너의 세상에 유일한 희망이 되고 싶어.

꼭 나를 찾아줘.
그리고 너의 따뜻한 눈물을 나에게 흘려줘.

그때가 되면 나는 조금씩 녹아내려 다시 세상에 나타날 수 있을 거야.

밑창

유리 위를 걸어본다
내가 발을 떼면 신발 밑창이 보였다
보이지도 않고 잘 보지도 않아서
많은 계절을 밟아 더러워졌다

어젯밤 비가 무수히 내려
물웅덩이가 많이 보였다
신발을 절반 정도가 안 보일 만큼 푹 담갔다
발을 떼어보니 밑창이 보였던 웅덩이가 사라지고
흙이 가득하게 보이는 웅덩이가 되어버렸다
흙이 웅덩이를 집어삼켰다

밑창이 깨끗해졌다
더러웠던 마음이 씻겼다

그랬구나

더럽고 힘들었던 마음은 그저

별거 아닌 곳에서 정말 아무렇지 않게

순식간에 지워지는구나

때로는 무딘 사람이 되고 싶었다

   때로는 무딘 사람이 되고 싶다.
말 한마디에 금방 감정에 사로잡혀 예민해지지 않고 복잡한 생각을 하지 않고 금방 잊어버리는 그런 사람이 되고 싶다는 생각을 하루가 흘러갈 때마다 종종 해왔다.

   감정이란 건 항상 나를 붙잡으며 멋대로 움직이게 하고 진작에 선을 긋지 못한 탓에 이런 행동들이나 인간관계에서 나오는 상처들을 삼켜내는 것은 모두 나의 몫이 되었다.

   내가 굳게 믿고 의지했던 사람들은 결국 내 감정을 이용해 나를 더욱더 밑으로 내렸다. 때문에 나는 바닥까지 내려오게 되었고 더 이상 내려갈 곳이 보이지 않아 어쩔 줄 몰라 했다. 어디까지 내려가야 할까, 이제는 더 이상 내려갈 곳이 보이질 않았던 나는 그렇게 바닥을 보고 흙을 보다가 지나가는 개미를 발견했다.
   그 개미는 일렬로 바쁘게 움직이고 있었고 순간적으로 그 개미들을 따라가기 시작했다. 얼마 가지 않아 개미는 이내 바닥 사이로 들어가게 되었고 나는 그런 개미들을 바라보곤 더 이상 내려갈 곳이 없지 않다는 걸 깨닫게 되었다.

이제 내가 가야 할 곳이 지하라는 것을 깨달은 나는 무작정 아무도 모르는 지하 속으로 내려가자는 마음을 먹게 되었다. 지하 속으로 내려가게 된다면 내가 슬피 우는 모습을 그 누구도 찾아볼 수도 없을 것이다.

개미처럼, 그렇게 깊은 곳으로 들어가 보려 한다.

제 3부

내가 이 세계에 태어난 이유는

알고보니 여름이었다

   짙은 하늘을 바라보니 유난히 그리웠던 꽃이었고 오늘 내 하루는 아쉽게도 온갖 어둠 속에 빛 한 줄기만 존재한 날이었다.

   그저 추억을 바라봤을 때 잠깐 행복에 젖게 만드니 그거면 됐다고 하는 게 내 마음이었고찰나가 영원해지면서 일렁이는 그런 마음에 신경을 쓰지 않도록 힘을 내는 계절이었다. 예쁜 걸 곁에 두면 나 또한 예뻐질 줄 알고 책장 위에 차곡차곡 모아온 것들은 잠시를 좋아했던 바람처럼 추억이 곁들어졌다.

   하나를 어울려 했던 희망은 둘을 알아버리니 낭만의 습도를 알고 싶어 했다.
   그 습도를 알고 나니 그제야 여름이라는 걸 깨닫게 되었다.

   알고 보니 여름이었다.

몹시 아픈 날

내 앞에서 전혀 보여주지 않았던
반짝이고 아름다운 눈물을 흘리며
그렇게 내 손을 뿌리치며 등을 돌렸다

네가 떠나고 나니 겨울이 되었다

아무리 따뜻한 차를 마셔도
아무리 뜨거운 죽을 먹어도
아무리 하루 종일 누워 있어도
내 몸은 시린 겨울날 불어오는 겨울바람처럼
차가운 마음만 가득 품어버렸다

여름에 비가 내리지 않으려는 것처럼
겨울에 눈이 내리지 않으려는 것처럼
너 또한 나에게 내리지 않으려고 했다

각자만의

사랑은 얕지 않아야 되며
항상 깊은 곳이어야 하고

아픔은 깊지 않아야 되며
항상 얕은 곳이어야 한다

오만은 항상 불씨가 가득한
장작들과 조용히 불에 타올라야 하고

오해는 보이지 않는 구름 속으로
모습이 보이지 않도록 감추어야 한다

너는 깊어야 하고
나는 타올라야 하겠네

나의 18살

"영수증 필요하실까요?"

"감사합니다 좋은 하루 보내세요!"

여느 때와 다름없이 자주 다니는 스타벅스에서 아메리카노 한 잔을 시키고 창가에 앉아서 이어폰을 귀에 꽂고 정신없이 글만 썼다. 오늘도 영수증이 필요하냐고 여쭤봐주신 덕분에 벌써부터 하루를 행복하게 보낼 수가 있게 되었다. 카페에선 잔잔한 음악이 흘러나왔지만 더위를 피하기 위해 카페로 들어와서 자리에 앉아 수다를 떨며 시끄러운 노래를 틀어놓은 것처럼 잡음이 가득했고 대화의 소리가 점점 커졌다. 나는 소리를 더 키우며 음악과 한 몸이 되었고 그 분위기에 따라 글을 썼다. 어느 어른분께서 나에게 그러셨다, 생각이 되게 깊은 아이라고. 어쩜 그런 생각을 하며 글을 쓸 생각을 했냐고. 나는 그 말을 듣고 여러 생각에 잠겼다. 정말 나는 어떤 생각으로 글을 쓰게 되었을까. 정확하게 자부할 순 없지만 나는 그저 누군가가 나로 인해 조금이나마 위로가 되었으면 하는 바람이 가장 크다.

수익을 벌기 위함도 아닌 조금이라도 대단한 사람이 되

고 싶기 위함도 아니다. 글을 쓴다고 해서 불이익이 발생한다고 하더라도 나는 누군가의 오늘을 위해, 누군가의 내일을 위해 하루를 살며 위로를 건네줄 것이다.

그것이 내가 가장 원하고자 하는 바람이자 내 삶의 목표이다.

나는 어릴 적부터 작가가 되고 싶었던 건 아니다. 초등학교 시절 땐 경찰이 되고 싶었고 그 이후 중학교를 올라와서는 드러머가 되고 싶었다. 하지만 그 어떠한 것들도 나를 충족시키기엔 애매한 부분이 가득했고 세월이 흐르면 흐를수록 하루하루를 시로 기록하는 내가 가장 인상이 깊었다. 중학교 시절 땐 드러머가 되고 싶었지만 시를 쓰는 건 포기를 할 수 없었기에 성인이 되면 책을 출간시켜봐야겠다고 다짐했지만, 이르다면 이르고 늦었다면 늦은 고등학교 2학년이라는, 학업적으로 따지면 가장 바쁘고 중요할 나이에 책을 출간하게 되었다.

성적이 안 좋아도 나는 왜인지 압박이 오지 않는다.

나는 지금 이대로가 좋을지도 모른다. 공부를 잘한다고 더 위로를 잘 건네주는 것도 아니고, 한 문제를 더 잘 푼다고 해서 한 사람의 눈물을 더 잘 닦아주는 것도 아니다. 그저 지금처럼 성심껏 글을 써가며 행복한 마음을 가득 안으며 하루를 마무리 하는 게 현재의 바람이자 미래의 목표이다.

항상 카페에서 음료를 주문할 때마다 나오는 영수증을 바라볼 때마다 나는 생각한다. 내 인생이 기록되어 있는 영수증이 생기면 어떨지. 그 영수증은 잉크가 가득할지, 아님 여백이 가능할지. 그에 따른 값은 얼마나 나올지도 궁금해진다. 내 인생이 영수증으로 한 번에 정리가 되는 것도 신기하겠지만 무엇보다 그 영수증을 누군가에게, 또는 나에게 건네며 좋은 하루를 보내라는 따뜻한 말 한마디를 건네는 게 오늘을 더 완벽하게 닦아낼 수 있을 것 같다. 아무래도 내가 자주 오는 카페를 포기하지 않는 이유가 고작 감사하다고, 좋은 하루 보내라는 말 한마디를 변함없이 계속 받고 싶어서 그런 것 같다.

나는 새로운 환경보단, 늘 이용하던 지겨우면서도 편한 곳이 더 좋다.
그게 장소여도, 사람이어도, 그렇다.

좋아했던 공원의 마음

오늘 첫눈이 내렸다
내가 가장 좋아했던 공원이

처음 보는 색으로 옷을 갈아입었다

내가 좋아하는 신발을 신고 공원을 뛰어다니며
발자국을 남겨 오늘 하루를 기록했다

양말이 젖었다
발가락이 찢어지듯이 아팠다
눈이 얼마나 많이 내렸길래
눈이 얼마나 차갑길래, 얼마나 힘든 감정이길래

오늘 하루는 기분 좋게 집을 들어가기엔 어렵다
걸을 때마다 감각이 점점 희미해진다

그럼에도 아픈 걸 티 내지 않으면서

어제처럼, 남들처럼 걸어 다니면

.

내일 비가 내려 다 녹여줄까

양말은 여전히 축축했다

내일은 다르게 축축해지고 싶었다

마음의 온도

오늘 처음으로 너에게 따뜻한 말을 받았다
너는 그저 차가운 말만 할 줄 알았는데
그 차가웠던 게 점차 시원해지며
이내 조금씩 온도가 오르기 시작했다

같은 농도로 대화를 주고받으며
그런 마음을 건네준 적이
우리가 사랑하면서 몇 번이나 될까

처음에 내가 높은 온도로 다가갔고
처음에 네가 낮은 온도로 나를 바라봤을 때처럼
우리는 같은 온도로 마음을 주고받은 적이 별로 없었다

이제 너의 마음의 온도가 올랐으니
일정한 평균기온으로 마음을 주고받나 했지만

지금은

농도가 짙었던 내 마음이 옅어지게 됐고

농도가 옅었던 네 마음이 짙어지게 되었다

우리는 서로 맞지 않는 선 위에 올라섰다

언어의 온도

하늘이 천천히 흘러간다는 것은
아마 우리가 행복하다는 뜻일 테고

꿈속에서 들려오던 작은 속삭임이
끝내 내 곁에서 들려오기 시작할 때
짙어지는 마음이 조금씩 옅어지며
언어라는 것에서 따뜻한 감정이 느껴지게 된다

너를 조금 더 예뻐지게 해주기 위해
너를 조금 더 아름다운 사람으로 만들기 위해
수많은 감정 중에 가장 아름다운 단어를 골랐다

너와 알맞은 문장과 너와 알맞은 꽃을 섞어서
그렇게 너에게 닿을 수 있을 만큼 손을 길게 뻗었다

우리를 충족시킬 수 있을만한 온도는 몇 도나 될까
우리의 사랑을 조금 더 따뜻하게 할 수 있는 그런 언어를

말해본다면 우리는 조금이라도 더 짙어질 수 있을까

옅어지는 마음만이 가득한 이 세계에서
짙어지는 마음을 선물하는 게 어려울지라도
너를 바라보면 내 마음은 결국 짙어지게 된다

이 세계에서 많은 감정, 마음, 사랑들이 오가도
나는 너 없이는 홀로 계절을 버티기가 버거운 것 같다

오늘도

어쩌면 바람에 이끌리고 싶을지도 모른다. 흘러가는 방법을 모르는 나는 오늘도 계절에게 몸을 맡기며 흘러가듯이 살아가는 법을 조금씩 배워보기로 했다. 유영하듯 산다는 것 어떤 걸까 유영하듯 살아가 보면 나를 조금 더 충족시킬 수 있을까, 곁에서 머물러있던 마음도 나를 떠나가기 시작하면 바람이 싫어질 수도 있겠다는 생각을 했다.

아프고 싶어도 아플 수 없다는 게 가장 서러운 것 같다. 하루를 고단하게 지내도 당장 다가오는 내일을 위해 조금 더 나아가는 하루를, 조금 더 좋아지는 나를 만들어야 한다는 게 어쩌면 당연할지라도 나에겐 버거운 감정이었다. 해가 지는 노을에 한강을 걸으며 윤슬을 바라봤다. 나도 윤슬이 되고 싶다는 말을 이 한강에서 몇 번이나 외쳤을까.

이 정도로 내가 누군가에게 위로가 필요한 걸까 아니면 누군가에게 위로를 선물해 주고 싶은 걸까. 그냥 이렇게 하루를 마무리하며 나에게 꽃을 선물하는 게

내 심리를 더 좋아지게 할 수 있을 것 같고 이래야 내가
조금이나마 만족할 것 같다.

오늘도 나는 내가 할 수 있는 최선을 다하며 그 최선에
잇따른 마음을 선물하며 만족한다.

조용한 바다를 만들었다

  메모장을 꺼내 한 장을 뜯어 책상에 올려 누군가를 위한 글을 썼다. 목적 없이 마음 없이 흐르는 대로 적어보았다. 누구를 위한 글일까 누구를 위한 계절일까 생각해 봤지만 아무래도 내가 느끼던 계절인 것 같다. 마무리가 어떻게 될지도 모른 채 꾹꾹 눌러가며 그렇게 한 글자씩 적었다. 날씨가 점점 어두워졌다, 내가 이토록 오래 쓰고 싶었을까 내가 이 정도로 누군가에게 마음을 전달하지 않았을까. 고작 아무렇지 않은 파란색 배경을 띠는 메모장일 뿐인데 글을 쓰고 나니 바다가 되어버려 무심코 해파리를 그렸다.

  혈액이 존재하지 않던, 새벽을 닮은 해파리를 그려보니 심장도 존재하지 않았다.

  나는 심장이 없어지길 바라는 마음이었나 보다. 한 평생을 누군가를 위해 살아갔지만 짙어지는 눈물만 가득 품었고 옅어지는 눈물자국만 그저 바람에게 맡겨 마를 수 있도록 내 마음을 조금씩 비틀었다. 맨 위에 에게.를 적어보니 내 글이 편지가 되었고 나는 조금씩 흐려지는 볼펜을 더 꽉 잡으며 더 꾹꾹 눌러썼고 결국 메모장에 구멍이 생겼다.

　고작 작은 구멍일 뿐인데 그토록 아늑했고 그만큼 이끌렸다. 메모장을 반으로 접은 순간 하루 종일 뱉어낸 마음이 보이질 않았다.

　결국 오늘도 누군가에게 전하지 못한 채 내 마음이 굳게 닫혀버렸다. 나만의 편지가 되어버렸다, 늘 여전히.

　내 젊음은 오늘도 나른한 오후를 넘어 공허한 새벽을 맞이했고 어두운 방안 속에서 무드등을 켰다. 고작 노을을 닮은 불빛이었는데 나는 눈물을 흘렸고 하루가 이렇게 끝나가고 있어 점점 감기는 눈을 거울로 바라보며 한숨을 길게 쉬었다.

　바다를 형성시키는 이 편지에 파도를 그렸고 추운 바람을 만들어 더더욱 아무도 바라보고 싶지 않은 바다로 만들어 나 홀로 이 바다에 존재할 수 있도록 했다.

　저물어가는 해가 아름다울지라도, 그 해가 더더욱 비참해져갈지라도 나는 이게 최선이었고 이렇게 만들어야 했다. 내 흔적을 고이 담아 편지 속에 눈물을 흘려 어두운 물방울을 만들었다. 밝은 마음을 띠고 있던 편지는 결국 더 어두워졌고 나는 그만큼 더욱 편해졌다.

　다음엔 더 어두운 메모장을 꺼내야겠다. 그래야 내 눈물이 더더욱 안 보일 테니까.

오롯이

모자람 없이
그저 온전하게

하늘이 고요해도
밤하늘이 쓸쓸해도
오롯이 너를 마주하고 싶었다

우리가 사랑하던 그 꽃이
우리를 위해 작게 태어나도

우리가 싫어하던 그 향기가
우리를 위해 흩어져도

오롯이 너를 비추고 싶었고
오로지 너만 바라보고 싶었다

내가 비롯되는 곳이 온통 너였다

  나는 사랑이 비롯되는 곳을 향해 여행하고 싶다.
아파서 무너질 때도 일어날 수 있고 슬퍼서 눈물을 흘려도
다시 닦아낼 수 있는 의지가 가득한 곳으로, 그런 마음이
태어나는 곳으로 향하고 싶다. 그저 행운보단 행복이 가득
하고 미소를 짓는 것보다 웃음을 짓는 게 더 좋았고 어쩔
줄 몰라 한숨을 쉬며 하루를 마무리 짓는 내가 이제는 사
랑에 비롯되어 어쩔 줄 몰라 나오는 헛웃음을 치며 하루를
마무리 짓게 되는 그런 게 더 좋았고 그것만을 바랐다.

  나는 늘 그래왔다. 혼자 여행을 하고 싶다가도 문득 너
와 함께 머물렀던 장소가 더욱 가까이 떠올라서 너와 함께
여행을 가고 싶다며 입을 열었다. 하지만 나는 그런 여행
을 딱히 바라지 않을지도 모른다. 너와 함께 하는 모든 일
이 내가 하고 싶은 일이 되었고 결국 그 모든 게 또 다르
고, 특별한 여행처럼 느껴지기 시작했다.

"나와 평생을 함께 하자, 나와 함께 모든 걸 다 버리고 같이 여행하자."

이만큼이나 따뜻한 말을 쓸 줄도 알았구나. 그저 떠오르는 마음을 글로 담은 것뿐인데 모든 게 너를 위한 한 문장이 되었다. 떠오르는 마음이 온통 너였다.

많이도 다투고 많이도 지쳐왔던 나날들이 많았지만 결국 너에게 하고 싶은 말들이 더 많았고 너와 함께 웃으며 걷던 날이 나에겐 한 주, 한 달을 예쁘게 묶을 수 있게 되었다. 정확한 문장이 떠오르지 않아도 너에게 한마디를 할 때마다 나는 한 문장이 아닌 한 페이지를 쓸 수 있게 되었다.

떠나가는 새를 바라보며, 앞으로 나아가다가 금방 뒤로 물러서는 파도를 바라보며 나는 빌었다. 나를 떠나가는 새처럼, 나에게 다가오다가 두려움에 금방 뒤로 물러서는 파도처럼 되지 않게 해달라고.

모든 걸 빌었던 내 마음의 대상이 온통 너였다.

너였을까

네가 나에게 내린다
눈일까 비일까

어느 계절 속에서 내리는 마음일까
여름일까 겨울일까

한 치 앞도 보이지 않았던
안개가 자욱한 풍경 속에서
나는 작은 그림자를 발견했다

그림자로 점점 다가가보니
추웠던 마음이 조금씩 녹아내리기 시작했다

더 가까이 가보니 그 그림자가 사라지고 없었다

그건 대체 무엇이었을까

그림자였을까, 빛이었을까

아님 너였을까

괜찮습니다

"괜찮습니다, 살다 보면 그런 날이 오기도 하죠. 누구나 실수는 하기 나름이니 다음부턴 꼭 조심해 주세요!"

항상 완벽함을 중요시하던, 하고 싶던 내가 처음으로 실수를 하던 날이 생겨버렸다.

늘 변함없이 완벽하게 일을 끝내고 완벽하게 마무리를 짓는 걸 좋아하던 내가 오늘 처음으로 실수를 저질렀다. 처음으로 저지른 일에 순간적으로 머리가 하얗게 번지면서 다음으로 어떻게 해야 할지를 몰라 죄송하다는 말만 뱉으며 시선이 바닥과 신발에 가도록 깊게 숙였다. 주변 동료들은 그저 아무 말 없이 괜찮냐며, 다친 곳은 없냐면서 오히려 나를 더 챙겨주었고 나를 더 걱정했다. 나는 주변 동료들이 나를 걱정해 주는 것조차 안 들릴 정도로 너무 당황한 나머지 죄송하다는 사과만 반복했다. 정말 괜찮다며 우선은 진정하라면서 물 한 잔을 건네주셨고 나는 떨리는 손으로 물을 마셨다.

살면서 이 정도로 가장 크게 실수를 한 적은 이번이 처음이었다. 그래서 더욱 당황하고 놀랐던 게 아닐까 싶었지만 동료들은 그저 괜찮다면서 아무 말 없이 내가 저지른 실수를 치워주셨고 어깨를 토닥이며 내가 바닥까지 내려가지 않도록 붙잡아주셨다.

분명 서로 놀랐을 테고 순간적으로 화도 났을 텐데도 불구하고 괜찮다며 다독여주셨다. 나는 그런 손길이 더욱 더 눈물이 날 만큼 죄송스러우면 한편으론 너무 감사했다.

살다 보면 실수하는 날이 오기도 한다며 퇴근을 하는 도중에도 끝까지 어깨를 토닥이며 오늘 하루도 고생 많았다며 다독여주셨다. 결국 집으로 가는 버스에서 홀로 창가를 바라보며 눈물을 흘렸다. 모질고 차갑기만 할 줄 알았던 이 세계가 아직은 여전히 따뜻하구나. 아직은 식지 않은 채 여전히 따뜻하구나.

나는 오늘을 계기로 조금 더 조심히 살아보기로 했다. 완벽을 중요시하는 것보다 노력과 과정을 중요시하기로 했다. 결과보단 과정이 더 중요하듯, 꽃이 피어난 상태도 예쁘지만 그 꽃이 어떤 과정을 거쳐 피고 지는지가 더 아름다운 것만큼. 실수도 하나의 노력 아래에 과정이라는 걸 깨달은 하루였다. 이 세상은 아직도 따뜻하다. 꽃이 피어날 수 있을 것 같다.

당연하듯 너를

여름이 오길래 뜨거워질 줄 알았다
어떠한 감정인지 전혀 알 수 없던 그 하늘에서는
금방 잊힐 소낙비가 내리기 시작했다

겨울이 왔는데 그다지 춥지가 않았다
여전히 하늘은 공허했고 구름은 보이지 않았다
이번엔 오래도록 곁에 머무를 눈이 내렸다

조용하게 네가 나에게 왔다
나는 당연하듯 너를 반기려고 했다

네 얼굴에는 꽃잎이 가득했다
파란색일까, 분홍색일까
꽃잎에 있는 색을 볼 수가 없었다
나는 색을 구별할 수 없는 눈을 가지고 있었다

오늘도 당연하듯 너를 반겼다

네가 어떤 감정에 복받쳐 있을지도

여전히 모른 채

우린 한 장으로 넘겨진다

  매끄럽고 고운 종이를 넘겼다. 넘겨보니 네잎클로버가 있었다.
클로버가 살아 숨 쉬는 더위를 발견하곤 조금씩 여름의 소낙비를 삽입했다. 종이가 빗물에 젖기 시작했고 행복이 가득 담겨있던 그 종이는 소낙비의 마음을 깨달은 채로 그렇게 겨우 한 장으로 끝을 내렸다.

  여름을 한 움큼 잡아서 구겨버렸다.
여름을 가득 담았던 종이가 구겨졌고 그 종이 뭉치가 가을 바람에게 이끌려 이리저리 흔들리며 내 곁에서 조금씩 모습을 감추기 시작했다.
  나는 그렇게 미웠던 여름을 잃어버렸다.

  작은 노트 속에 내 마음을 적으며 눈물을 추가했다. 아무래도 시린 바람이 내 시야를 가리는 것 같다. 인공눈물을 넣으며 어떻게든 이겨내기로 했다. 시려웠던 바람을 뚫고 눈을 떠보니 앞에 작은 여름이 있었다.

내가 잃어버렸던 여름이었다. 종이 뭉치를 들어 올려 구겨진 종이를 하나씩 펼쳐보았다. 조금이라도 문지르면 사라질 것 같이 흐릿한 글씨가 적혀있었다. 나무 사이로 들어오는 햇빛을 잠시 빌려 글씨를 확인해 보니 내가 그토록 사랑하던 또 다른 여름이 적혀있었다.

젊음, 청춘, 영원, 추억, 사랑

우리의 삶은 그래요
지워내고 싶어도 지울 수가 없어요
하루가 지날 때마다 모든 게 과거로 흘러갈지라도
다정을 위해 조금씩 담아보아요

젊음, 청춘, 영원, 추억, 사랑
다시는 돌아오지 않는 그 유한한 모든 것들을
노트에 글로 담아보기도 하고 카메라에 사진으로
담아보기도 해요

젊음 속의 사랑을 가득 찍어보고
청춘이 사라지지 않을 영원한 마음으로
추억을 위해, 어제의 나를 기억하기 위해
그리고 오늘의 나를 담아내기 위해
노트에 모든 걸 적어보아요

모든 단어들의 중앙에 일직선을 그어도
단어들은 사라지지 않아요

그러니 일직선이 아닌
밑줄을 그어주길 바랄게요

우리의 삶이
더 아름답다는 걸 알아볼 수 있도록

당신의 그 아름다움이
더 빛난다는 걸 알아볼 수 있도록

우리의 청춘이, 우리의 영원이
더욱더 강조되어 남겨질 수 있도록 해주세요

한 장의 여름

　매끄럽고 고운 종이를 넘겼다. 네잎클로버가 있었다. 클로버가 살아 숨 쉬는 더위를 발견하곤 조금씩 여름의 소낙비를 삽입했다. 종이가 빗물에 젖기 시작했고 행복이 가득 담겨있던 그 종이는 소낙비의 마음을 깨달은 채로 그렇게 겨우 한 장으로 막을 내렸다.

　여름을 한 움큼 잡아서 구겨버렸다.
여름을 가득 담았던 종이가 구겨졌고 그 종이 뭉치는 가을 바람에게 이끌려 이리저리 흔들리며 내 곁에서 조금씩 모습을 감추기 시작했다.
　나는 그렇게 미웠던 여름을 잃어버렸다.

　작은 노트 속에 내 마음을 적으며 눈물을 추가했다.
아무래도 시린 바람이 내 시야를 가리는 것 같다. 인공눈물을 넣으며 어떻게든 이겨내기로 했다. 시려웠던 바람을 뚫고 눈을 떠보니 앞에 작은 여름이 있었다. 내가 잃어버렸던 여름이었다. 종이 뭉치를 들어 올려 구겨진 종이를 하나씩 펼쳐봤다. 조금이라도 문지르면 사라질 것 같이 흐릿해 보이는 글씨가 적혀있었다. 나무 사이로 들어오는 빛을 잠시 빌려 글씨를 확인해 보니 내가 그토록 사랑하던 또 다른 여름이 적혀있었다.

내가 사랑하던 여름은 온통 우리가 함께 추억에 머물러 있었던 나날들이었다.

여름을 펼쳐보니 다른 풍경이었다.

여름, 초록 잎

별을 보고 살아갈 수 있을까요
그 아름다운 빛이 내 눈에 들어올 수 있을까요
아쉽게도 내 눈에 들어오는 건 초록 잎밖에 없어요
저 높은 곳에 떠다니는 마음을 얻기엔 부족한 거겠죠

비록 초록 잎을 바라보면서 아늑한 사랑을 받지만
저는 이런 아늑한 사랑이
미지근한 초록의 사랑이
내 마음에 더 와닿아서 높은 하늘을 바라보지 않아요

반사되어 눈에 완전히 와닿지 못하는 별 보다
눈으로 가득 담아 그렇게 사르르 번지게 되는
여름의 절정 속에서 살랑이는 풀잎이 더 좋아요

아무래도 행운보다 행복을 더 사랑하는 거겠죠

작가의 말

_____

제 첫 시집 <청춘의 건널목>을 집필하고 나서 책을 출간했다는 기쁨을 가득 머금으며 그렇게 그동안 집필해왔던 시간만큼 즐기며 휴식을 취하려고 했지만 시집을 출간하고 한 달도 지나지 않아서 저는 다시 깊은 고민에 빠지게 되었습니다. 아직 미성숙하고 부족한 이 시집으로 과연 누군가에게 위로라도 건넬 수가 있을까, 내가 정말 말하고자 하는 게 무엇인 걸까 하는 생각에 잠겼습니다. 때문에 저는 다시 차기작을 집필하게 되었습니다. 모진 세상인 것 같아도 이 세상은 여전히 따뜻하다는 걸 알려드리고 싶었습니다. 우리들은 항상 바쁘고 정신없는 사회에 이끌리기 때문에 좁은 시선과 좁은 마음으로만 살아갑니다.

　　이런 세상이 지속됨으로써 우리는 현실을 받아들이며 "내가 원래 이런 사람이구나"라는 자책을 하고 맙니다. 그 계기로 저는 이렇게 3개월도 넘기지 않은 채 차기작을 집필하게 되었습니다.

　　세상이 좁을 뿐이지, 우리가 좁은 게 절대 아닙니다. 우리는 어릴 적부터 지금까지 항상 넓은 마음과 넓은 시선으로 살아가고 있기 때문에 시원한 바람을 맞을 수 있다는 걸 알아주셨으면 좋겠습니다.

바다처럼 넓다는 걸 알려드리고 싶었습니다.

끝이 보이지 않는 바다를 바라보면서
이 세상에는 끝이 보이지 않는 것도 예쁘다는 걸 알아주시
길 바라며 당신의 목표와 끝이 보아질 않아도 매 순간마다
아름답다는 걸 알아주셨으면 좋겠습니다.

앞으로도 우리가 되돌아볼 추억들과 청춘들을 위해
저는 오늘도 이렇게 누군가에게 위로를 전하기 위해 마음
을 선물하며 아름다웠던 하루를 마무리 짓습니다.

끝없는 청춘이 앞으로도 영원하길 바라며.
2024년 가을 아래에서,
유대협